JUMP COMICS

DRAGON BALL

ドラゴンボール

巻二十四　悟空か!?ギニューか!?

鳥山 明

とうじょうじんぶつしょうかい
登場人物紹介
最長老
孫悟空
孫悟飯
ブルマ
クリリン
CAPSULE CORP.

前巻までのあらすじ

昔むかしのこと。七つそろうと神龍が現れ、願いをかなえてくれるという、ドラゴンボールを捜して旅に出た孫悟空は、大冒険の末、すべての球を集める。が、悪用されそうになり、つまらない願いをかなえてもらう。神龍は、一度願いをかなえると一年以上現れない。その間、亀仙人の下で修業をつんだ悟空は、再び球捜しの旅に出る。さらに修業を重ねた悟空は、天下一武道会で、ついに念願の優勝を果たす。その後、地球を襲撃したベジータと、クリリン・悟飯達は失われたドラゴンボールを求めてナメック星で争奪戦をくりひろげる。そしてすべての球がそろった所へ強敵・ギニュー特戦隊が登場!!クリリン達はやむなくベジータと手を組んで立ち向かうが…!?

DRAGON BALL 24

悟空か!?ギニューか!?

DRAGON BALL

其之二百七十七

笑うフリーザ

ドラゴンボール

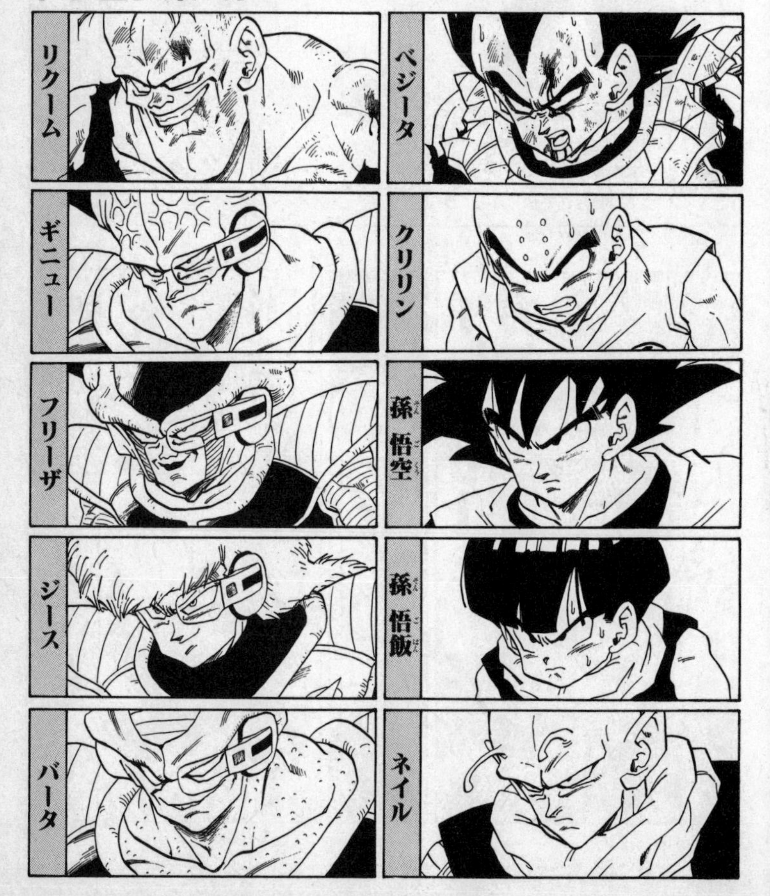

こいつでフィニッシュだ!!
ハア
ハア
ハア

よ よ〜〜し いいくぞ悟飯……!!
ベジータにはすばやい攻撃をよけられるほど体力が残っちゃいない……!!

リクーム…

イレイザーガン!!!!

ぐ…う!!!!
ぐ!!

パラパラ・・・
ど…どけ…ジャマだ……
よ…よけいなマネしやがって……
え…!?…あ……
…ひ……
ひええ………
マ…マヌケめ…オ…オレを助けるヒマがあったらな…なぜきさまもヤツを攻撃しなかった…
お…おまえたちのあ…甘さにはヘドがでるぜ…

ズザザザザ〜〜〜

地面が消しとんで
ほ…星の形が
かわっちまった
……
お…お……
おっそろしい
技だ……

ムクッ
いまの
ふいうちは
なかなかだったぞ!
真上から
くらって
クチが閉じち
まった……
………
……!!

おかげで
歯が……
ちょ…
ちょっと
アタマに
きちゃったかな
………

お――い
バ――タ!
ジ――ス!
このチビ2匹も
オレに
やらせてくれ――!!
いいだろ!!
なっ!?なっ!?

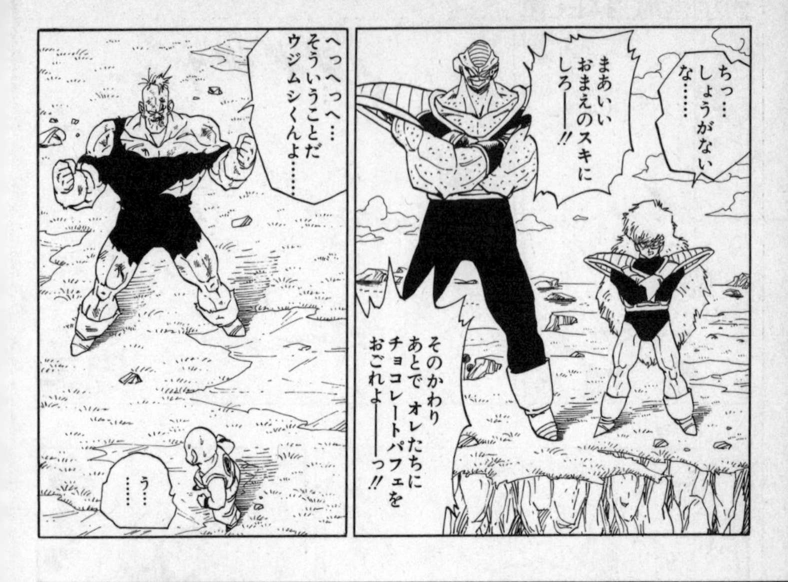
ちっ…しょうがないな……
まあいい おまえのスキにしろ──!!
そのかわり あとで オレたちに チョコレートパフェを おごれよ───っ!!
へっへっへ… そういうことだ ウジムシくんよ……
う……

!!

クリリンさーーーん!!
バンッ

ダンッ
ぐっ…!!!
ぐふっ!!!

タッ
クッ クリリンさんっ!!!

ほ…骨が……
な…なんてことだ…
たった一撃でこのざまだ……
あ…あいつすごすぎる…
こ…こんなのありかよ…
さ…最長老さんにせっかく上げてもらった力が
な…なんの役にも……

ハ…ハッキリいって
オ…オレたちは
もう…お…
終わりだ…
……
手も足も
でねえし…
逃げてもつかまる
……ドラゴンボールも
とられちまった…
ぜ…
ぜんぜん
いいとこ
なしだ…
……

ちっ！
しまったな
〜〜〜
つい力が
入っちまった…！
もうちょっと
あそぶつもり
だったのによ〜

ぼ…
ぼく…
や…や…
やれるだけ
やってみます
……！

そのころ
最長老の命により
クリリンたちの
助っ人に
向うはずだった
ネイルは…

なぜか途中で
最長老の元へと
引き返していた
……
妙な胸さわぎが
したからである
ごく近い未来
最長老の身に悪の手が
のびてくる…… ネイルは
そう感じとっていたのだ…

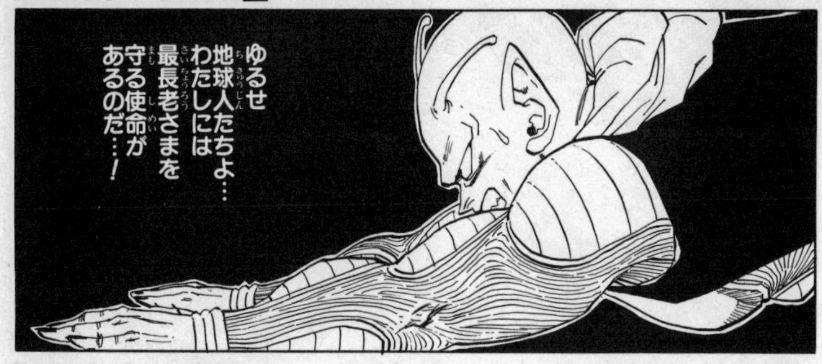
ゆるせ
地球人たちよ…
わたしには
最長老さまを
守る使命が
あるのだ…！

バ
ゴッ

スタッ

ぐ…
ぐう…!!

だああーーっ!!!!!
ドドーン
ギイイーン
ほい!!
ブンッ
フッ

なっ!?

くっ!!!!

!!
げっ!!!!

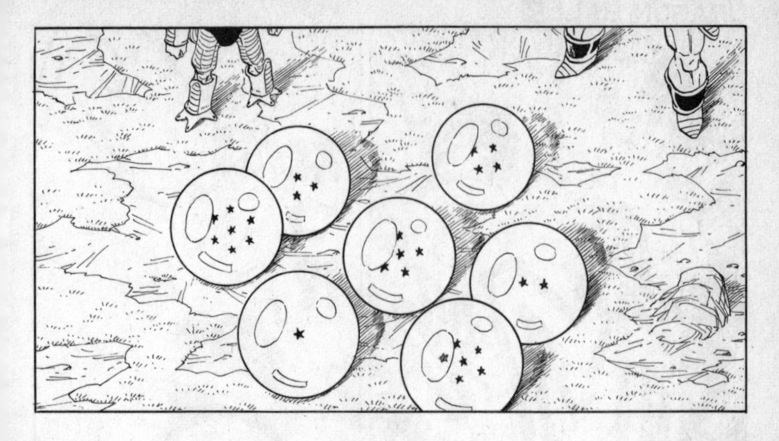

すばらしいですよギニューさん…
こんなに はやく7個すべてのドラゴンボールをもってきていただけるとは

やはりあなたたちギニュー特戦隊をよびよせたかいがありましたね
フリーザさまにそういっていただければ光栄です

いよいよこれでわたしに永遠の命が手にはいるわけですね
すばらしい喜びです!

次は、其之二百七十八　孫悟飯 死す!?

ホッホッホ…わたしともあろう者がドキドキしてきました
では　いよいよ永遠なる宇宙の支配者の誕生ですよ…！

さあ！ドラゴンボールよ!!
このフリーザさまに永遠の命と若さをあたえなさい!!!

うおおおお!!!

……

……？
な…なにもおこりませんね…

も もう不老不死になられたのでしょうか？
い…いいえ……そ そうはおもえません…

な…なぜ……
………………

はっ

さ…さあもっていくがいい…
ド…ドラゴンボールをあつめたところでき…きさまらにはどうせ願いをかなえることなどできんからな…

た たしか2個めのドラゴンボールを奪ったとき ナメック星人がそういって……
ただの負けおしみだとおもったのですが…
きさまらには……
たしかにそういっていた……
きさまらには……

なにか暗号があるのですね!!
ナメック星人しか知らない 願いをかなえる秘密の暗号が……!!

合いことば!? 場所!? それともボールのならべかた…!?
ナメック星人にそれをききださなくては……!!!

ナメック星人はほとんど殺してしまいましたからね……
1匹だけでも生き残っていればいいのですが…!
ピッ

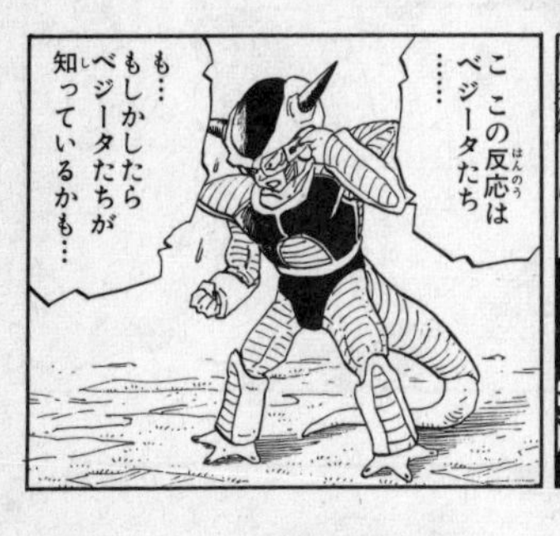

こ この反応はベジータたち……
も…もしかしたらベジータたちが知っているかも…

え…!? で では部下たちに殺すのをやめさせなければ…!!
ピピ-
お!?

ポイント882940 1をごらんなさい…‼
あきらかにナメック星人だとおもわれる反応がふたつ…
そして そのポイントにちかづいている反応がもうひとつ…
こんな場所は攻めていませんからまだ生き残っていたんですね…!

では わたしがいって願いのかなえかたを吐かせてやりますよ!
いえ わたしが直接きいてきましょう
わたしのほうがここの連中の扱いになれていますからね
ギニューさんはここでドラゴンボールを見張っていてください
わかりました!
おまかせください‼

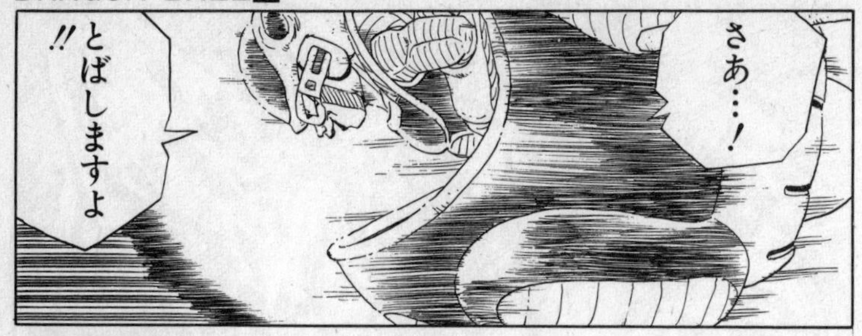
さあ…！
とばしますよ!!

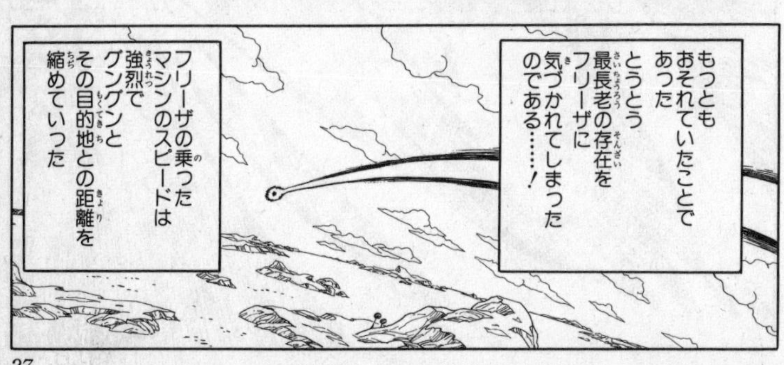
もっとも
おそれていたことで
あった
とうとう
最長老の存在を
フリーザに
気づかれてしまった
のである……！
フリーザの乗った
マシンのスピードは
強烈で
グングンと
その目的地との距離を
縮めていった

うははははっ!!!
それっ それ──っ!!!

ドゥッ
ドゥッ
くっ!!!
おっとこっちだ――っ!!!!
シャッ
バキッ!!
ぎゃふっ!!!
ダンッ

あ……
あう……
……う……

フラフラ…
あぐっ……
あ……
……

ドサッ…

ぐはっ！はあっ…
ぐ…ぐぎぎ……

は…はあっ
はあっ……
タッ

も…もういい……
も…もう立つな…悟飯…

ヒ……
ヒック…

ボ…ボクは…
…おとうさんの…
…そ…孫悟空の
こどもだ……
お…
お…おまえ
なんかに……
おまえ…
なんかに
……

ほほ〜〜〜 まだ
わけのわからねえ
ことを ほざく元気が
あるのか？
どこの星のガキか
知らんが
こいつは
おどろいた…

ま 負けて
たまるか
──っ!!!!!

は──っ
はっは!!!
あいてが
わるすぎた
な!!!!

わあああっ

ふっ

ザン…

ピクッ
ピクッ

……!!!

ピピー…ピー…

くたばる寸前だ
もう戦闘力は
残っていない
あたりまえだ
首の骨が
折れたんだぜ

……
悟飯……!!
く……
……くく
……!

…ち……
な…なさけねえ
くそガキだ…
す…
すこしは…
マシになったと
おもったら……

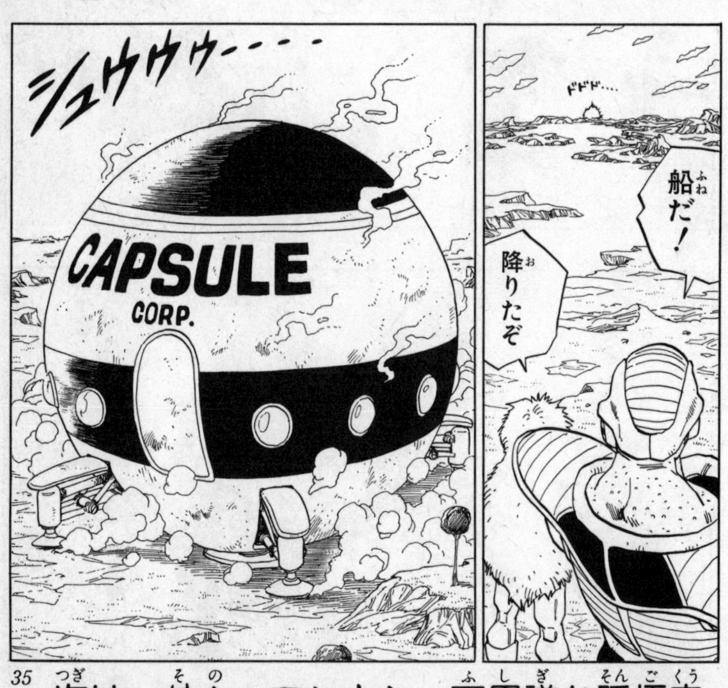

次は、其之二百七十九　不思議な孫悟空

なんだ
いまのは…
どこの
宇宙船だ?

ご……
悟空だ……

や…やっと
悟空がきてくれた……!!!

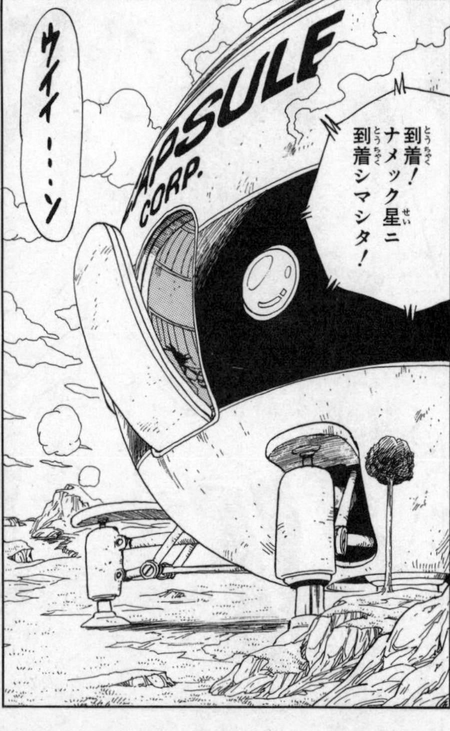
CAPSULE CORP.
到着!ナメック星ニ到着シマシタ!
ウイイ…ン

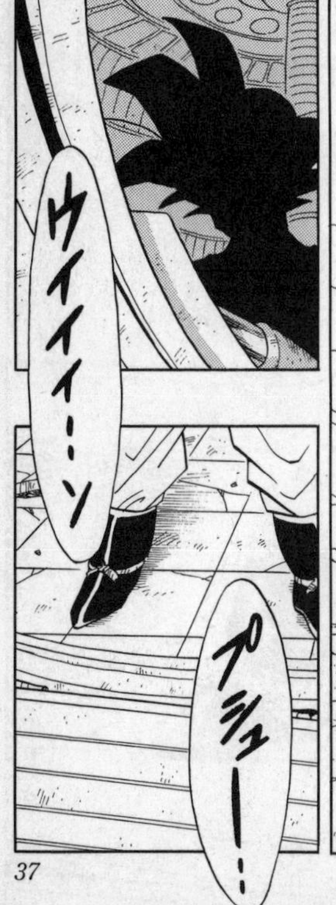
ウイイイ…ン
プシュー…!

はやく
3人をさがさねえと
……
生きてろよ
クリリン
悟飯
ブルマ…

あっちにひとつ…
こっちにもひとつ…
なんてことだ
……
バカでかい気をもったやつがゴロゴロいやがる…

……！
悟飯…!?
クリリンも…
まずいぞ!!
死にかけている…!!
すぐ近くのでかい気がみっつ集まったところだ…！

すぐいくぞ
待ってろ！

今こそ100倍の重力にも耐えた修業の成果をみせてやる!!

バッ
うっ!?

カ…カカロット……やっときやがったか……

ふ…ふははは…悟空…！
クリリン！
すぐにおめえにも仙豆を食わせてやっからな！

悟飯！仙豆だ食べろ
だめか…首の骨を折られて虫の息だ…
だいじょうぶとうちゃんが食べさせてやっからな！

おっおいおいっ!!
なんなんだきさまは!!
ムリやりおしこんでやる……
そのガキたちのなかまか!?

なにものだ…
かなりの
速さだったぜ…
あのやろう
おまえより
速いんじゃ
ないか…？
へっ
じょうだん
いうなよ
それに戦闘力は
ゴミみたいな
もんだぜ

パチ…

よう！
お
おとう
さん!!
ギョッ

お　おとうさん
気をつけて!!!
あ　あいつら…
待てよ悟飯
クリリンにも
仙豆を食わせて
やんねえと

おっおい!!
ああの
死にかけてた
ガキが…!!
ど
どうやったんだ
……!?
ひでえめに
あったな
悟飯…
……
……
は…はい…
手も足も
でなかった
……

…どうして ベジータも ひどいダメージを うけてるんだ…
あ…あいつに やられたんだよ と とにかく ものすごい強さで

クリリン 待たせちまったな 仙豆だ
はは…… う… うれしいような…… うれしくない ような…

うれしく ないような ……?
モグ モグ…

スッ

まっ また 復活しや がった…!!

…悟空… おまえにだって わかるだろ…? あ…あいつらの 強さが…
仙豆で 元気になったって また やられる だけさ… ざんねんながらな ………
い いくら 悟空だってムリだ… や…やつら ケタちがいの強さ なんだ…

べ…ベジータさえ あのザマなんだぞ……
それはそうと どうしてベジータが やつらに…
なかまじゃねえのか？
も…もともとはなかまだったらしいんだが…
しゃべらなくていい
さぐらせてくれ……
？

…へ？
な なにしてんだよ
オ オレ 熱はないけど…
いろいろとわかったぞ おまえたちふたりがやけにパワーのあがったわけや… ブルマも無事だってこと…
うばわれちまったドラゴンボール… それからフリーザってやつや あいつらのこと… ベジータのこともな……

う うそだろ!?
なっ なんでそんなことがわかるんだよ!!
さあ… なんとなくこうしたらわかるような気がしたんだ

ベジータはあいかわらずひでえヤツみてえだが…
事情はどうあれ おまえたち この闘いで命を助けられたようだな…
!!

お おまえ いつのまにそんな能力を…!?
残る仙豆はひとつだけか……

ベジータ!!
ピッ

パシッ

?
そいつを食ってみろ!
おっ おまえ さいごのひと粒なんだろ!? なっ なんで…!!

……………

モグモグ…

ピク…

……………
カ…カラダが……

バ バカだぜ! あいつも治して 4人で闘おうって 考えだろうが そ そんなこと したって…

そんなんじゃねえよ… あいつとは あとで 地球での決着を つけてえしな…
へ…!?
あ あとで 決着…!?

こいつらは オラひとりで かたづける

ひっ ひとりで かたづける〜!?
お おとうさん ……!!

ザ－－－

ちっ……妙なやろうだぜ……
オレたちをひとりでかたづけるだと？

あ…あいつ なにかんがえてんだ……
……おかしくなっちまったんじゃねえか!?
ど…どうやったって勝てるわけは…
ど…どうしちゃったの…!?おとうさん…！

へっへへへ……
ちっとはおもしろくしてくれよ…

お――い！このゴミムシの戦闘力はいくつぐらいだ!?

ほんとにゴミムシだぜ！戦闘力はたったの5000ぐらいだ――

なんだ…ガッカリさせやがって……
ただのハッタリ野郎かよ～～

次は、其之二百八十 超サイヤ人!?

おほっ!?
こいつやっぱりおかしいぜ これから殺されるってのに笑ってやがる

おめえはオラに勝てねえ 闘わなくてもわかる

へ!?

……

ぷわーーっはっは! なにをいうかとおもったら!!
とんでもねえ ホラをふきやがったぜ ゴミムシがよ!

あ…あいつやっぱりおかしいぞ…
あ…あんなハッタリをいうやつじゃなかったのに…
お…おとうさんひょっとしてあいてのパワーがわ…わからないんじゃ……

ま…まさか…い…いや…そんなことはありえない……
あ…あんなヤロウが…下級戦士のカカロットが……

で…伝説の超サイヤ人になどな…なれるわけはない………!!

これいじょう大ボケヤロウのジョーダンにはつきあってられねえ
一瞬で永久におとなしくさせてやるぜ!

ス…超サイヤ人は
一千年にひとり
あらわれる…
ど…どんな天才戦士も
超えられない壁を
超えてしまうサイヤ人…
そ…そんな…
あ…あれは　ただの
くだらない　いい伝えの
はずだ……

も…もし
伝説が
本当だったとしても
超サイヤ人に
なれる可能性が
あるのは…
このオレだけだ

さあ！
かくごは
いいか⁉

バッ
ギニュー
特戦隊‼

リクーム…
バババッ

マッハ…
ハ゜ハ゜ッ

アターーック!!!
ギャンッ

!!
と…!?

お!?
お!?

き消えたっ!!!
そ
そんな…
ど…
どこにも…!!

キッ

……
……

お おい
どういう
ことだ…?
……
…?

ピピピピ…

なにっ!?

きっ
きさま…!!!!
い…
いつのまにっ…!!!

なっ
なんだと
…!?

!?
あ…
あんなところに
…!?

おめえたちも
フリーザって
悪いヤロウの
仲間だな

………
いまのうちなら
痛いめにあわないですむ
消えたほうがいいぞ

なっ
なんだと…!!
ふわっ

タッ

こっ…このヤロ～…
スピードだけは
自信があるよう
だな…へへ…
しかし
逃げてばかりじゃ
いつまでたっても
勝てねえぞ…!

ベ…ベジータだけは
悟空のいる位置を
つかんでいたみたいだ…
い…いまの動きが
みえたのか……!?

わな
わな…

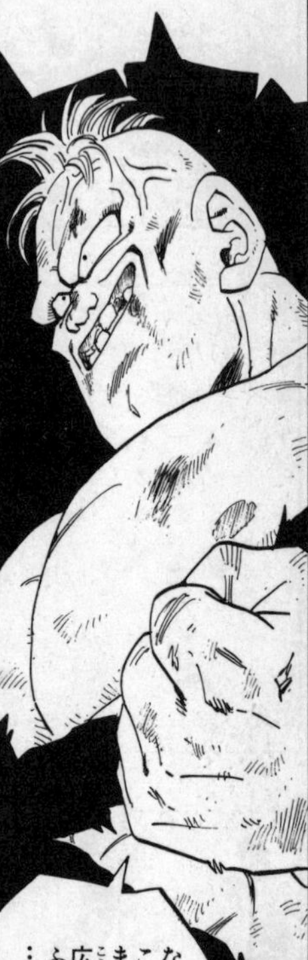
よ~~~~し!!
こうなったらとっておきを披露してやろう……
いっておくがいくらすばやく逃げたってムダだぞ!
なにしろこのリクームさまのまわりはかなりの広範囲にわたってふっとぶんだ……

こ…こんどでカカロットの真価がわかる……

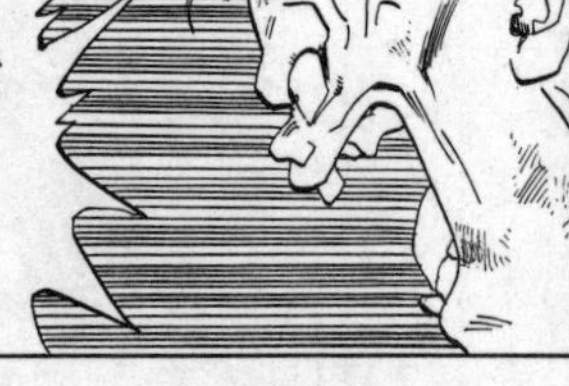
4匹まとめてあの世に送ってやるぜ!!!

リクーム……
バッ

やっ
やばい…!!!
!!

ウルトラ…

ファイティング・・・

お…おぐっ……ぐ……
わりいな
スキだらけだったもんだからつい…

こっ…こっ……
この…や…ヤロ……
ガクガクガク

ズ－－－ン

!!
な…な…!!

…え……？
お…おとうさん……たおしたの……？
ま…ま…まさか……
う…うそだろ……？
ピク…
ピク…

い…いくら不意打ちだったからって……
ベ…ベジータやオレたちがど…どんなに攻撃してもビクともしなかったヤ…ヤツを…たった一撃で……

ど…どういうことだ…リ…リクームが……
な…なんでもない攻撃だったはず……

…………
わなわな…
ち……ちくしょう…………………!!

次は、其之二百八十一　対決!!　ジースとバータ

ヒク
ヒク

どうする おめえたち!! とっとと じぶんたちの星に 帰るか!?
それとも こいつみてえに ぶったおされてえか!?

に……

きいたか? バータ あの おとぼけ野郎が また あんな寝言を ほざきやがったぜ
ああ… どうやら 実力でリクームを たおしたと かんちがいして やがるようだぜ
ゆだんした リクームと 妙な ぐうぜんが ただ重なっただけ なのによ……

な… なんだってんだ… あ あの悟空の 自信は……
……

ああ
ぐうぜんに
きまっている
だろう……
ヤツの
戦闘力数値は
ほとんど変わって
いなかったんだ
……

オレたちは天下の
ギニュー特戦隊
だぞ……
そいつを
わからせてやる
……

とうっ!!!
とうっ!!!

シャッ
シャッ

教えてやるぜ
ギニュー特戦隊を
なめると
こういうことに…

なっ!!!
お…お…
おうっ…!!

きっ…
きさまあ…
……!!!

どうでもいいけど
あんたら ゆだん
しすぎなんじゃ
ないの?

なんだと!!!!
ズァッ
はあっ!!!!
ザザ
ザザッ

こ
こいつ……!!!

ザッ

やっ!!!!

ズアッ

キッ

キッ

な…なんだ…!?
い…いまなにをしやがったんだ…!!

き…気合いだ…
あ…あれは気合いだけで吹っとばしたんだ…

で…でも……
あ…あのふたりおもったほど強くないような気がしませんか
お…おとうさんに手がだせないでいる…

そ…そんなはずはない……あ…あいつたちはベジータでさえどうしようもなかったあ…あのリクームってやつとおなじぐらいの気をもっている…
悟空が強すぎてやつらがたいしたことないようにみえるんじゃあ……
そ…そうかなあ…おとうさんの気の方がずっとちいさいのに…

ど…どうなってるんだ……！
や…やつの戦闘力はまちがいなくたったの5000だというのに……

カ…カカロットは攻撃のほんの一瞬だけ急激に戦闘力を高めているんだ…
お…おそらくムダなエネルギー消費をさけるために…あまりにも短い一瞬なのでスカウターでもひろいきれていないだろう…

と…とてつもない戦闘力だ……
な…なぜあいつにあ…あんなパワーが……

ア…アタマにきたぜ…！あんな屁みてえなヤロウにコケにされてたまるか…!!
おいジースきこえるかおまえクラッシャーボールを撃て!!たぶんやつのスピードならよけて逃げやがるだろうがな…

どうするんだ……?
きまってるだろう!必死でよけているところを背後からぶっつぶしてやる!!いくらやつが速くてもオレのスピードは宇宙一だ!

わかったぜ
ちっ…それにしてもなんであんなカスに……

クラッシャー

!!
!!

ボール!!!!!

ニッ
さあ
きやがれ
!!

ど
どうした
!!
なぜ
よけん!!!

ズドン
なっ!?
はっ
はねかえした……!!!
ぐっ!!!!!
ちっ
ちくしょ――っ!!!!
へ!?
あ
あれ!?

其之二百八十二

ベジータの複雑な心

うしろだバータ!!!!

なっ!?
よう

こっ こいつ いつのまに……!!
う…宇宙一のスピードを誇るオ…オレさまのうしろに……
じゃあ宇宙二じゃねえのか?

な…
なんてことだ…
オ…オレの
クラッシャーボールを
はねかえしたうえに
……
バ…バータの
うしろに
まわるとは……
わ…悪い夢でも
みているようだぜ
……

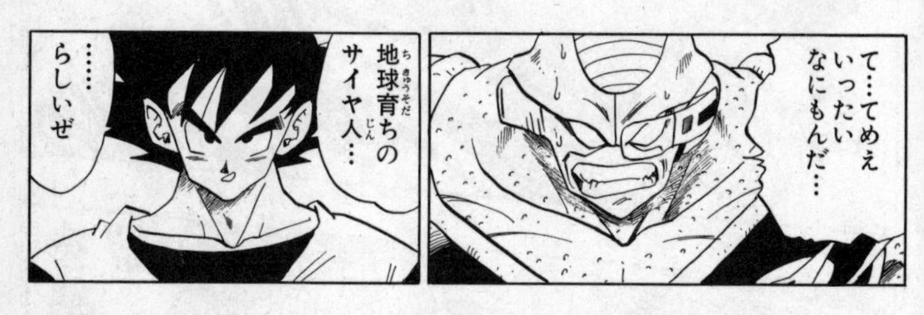
て…てめえ
いったい
なにもんだ…
地球育ちの
サイヤ人…
……
らしいぜ

ふざけるなっ!!!
サイヤ人に
そこまでの
スピードが
だせるもんかっ!!!
しるかよ
そんなこと
いったって…
すんげえ
修業をしたからだろ

このやろ〜〜
しかし
スピードだけでは
一生闘っても
勝てんぞ
チョロチョロ
逃げるだけじゃあな
……
逃げくたびれて
動きが
にぶくなったときが
きさまの
死ぬ時だ……

せいぜい
逃げまわって
やがれ!!!
シャッ

ずあっ!!!!
ずあああ
ああっ!!!!

くそったれ――っ!!!!
ギニュー特戦隊員があんなザコにふりまわされて たまるか――!!!

おっと!

ヒュッ
ヒュッ
ヒュヒュッ

みせてやろうか!?
スピードだけじゃないってことを!!

ビュッ
!?
つたあ!!!!

ガッ
ギュウウーーッ
ピク…
ピク…

ズ…ン
ポ…ポカ〜〜〜ン……

これでわかっただろう!!
ムダな闘いはよせ!!
こいつもさっきのヤツもまだ死んじゃいねえ!
はやいうちにこいつらつれてこの星からでてけ!!

……あ……あう……

………

カカカロットなにをしている…!!
とどめだ!!とどめをさせ——っ!!

こいつらはもうガタガタだ
意味なく殺す必要はねえだろう!
く……!

こ…こ……こんなことが……
オ…オレたちはギ…ギニュー特戦隊なんだぞ……
ぜ…全宇宙からの…精鋭だけを……集めた…5人の…ちょ…超エリート部隊なんだ……な…なぜ あんなレベルの低いヤツに…

あ…悪夢だ……
て…手も足もだせないままや…やられるなんて……

バシュッ
くっ くそーっ!!!
あっ に逃げた……!!

しょうがねえな…
仲間おいてっちまった……

お…おい…
ほ…ほんとに
悟空か…?
悟空なのか
……?
………
………

シャッ
え!?

バギッ

べ
ベジータ!!!
なにを!!

ダ

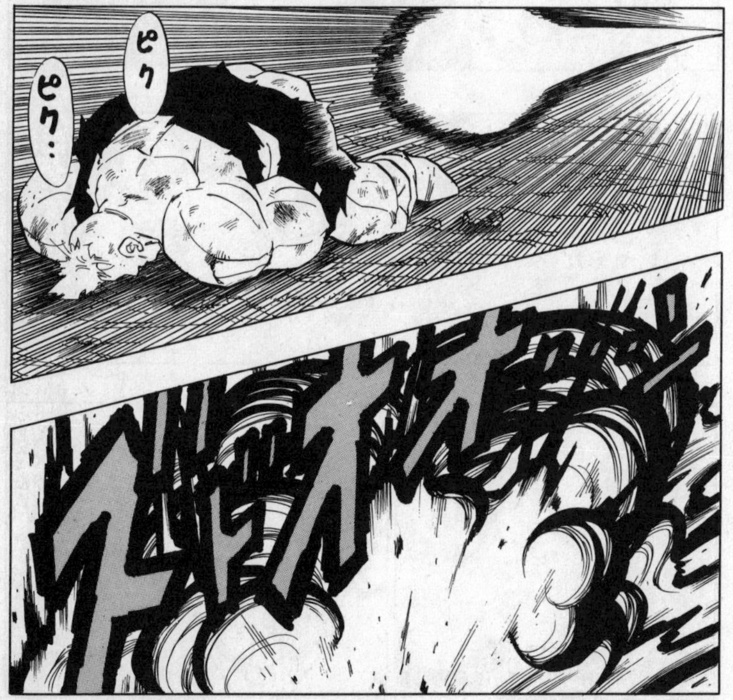
ピク
ピク‥

ゴゴゴ…

なんてやつだ!!
とどめをさす必要はねえっていっただろ!!
こいつらはもう動くこともできなかったんだ!!

まったくてめえの甘さにはいつもながらヘドがでそうだぜ…
なんで1匹をみすみす逃がしたんだ!
いまのてめえにならカンタンにヤツも始末できたはずだ……!!

どうやら きさまは完全な超サイヤ人にはなりきれなかったようだな…
スーパーサイヤ人…?

次は、其之二百八十三　ギニュー隊長おでまし!!

オラは じぶんでいうのもなんだが ずいぶんと強くなったと おもっている…
それでも フリーザって ヤツには 絶対 勝てねえって いうのか…!?
そういうことだ 闘うつもりなら かくごしておくんだな フリーザの強さは おそらく きさまの想像を はるかに超えているぞ

い いくらなんでも ちょっと大ゲサなんじゃ ないか…? み みただろ 今の悟空のすごさを あ…あいつらが 手も足もでなかったんだぜ 悟空に勝てるヤツなんて いるもんかよ…!
だったら 闘ってみるんだな……

おまけにフリーザは今ごろドラゴンボールで不老不死を手に入れてしまっているはずだ…
これでどう考えても勝ちめはあるまいヤツに会わんように祈るだけだ…

い…いやあいつはまだ願いをかなえてはいないとおもう……
え？

なんだと!?
なぜわかるんだ!?

も…もしここのドラゴンボールも地球のといっしょなんだったら神龍がでるときに暗くなるはずだろ!?
だがさっきから明るいままだ…たぶんまだ…なんじゃないかと…

………シェンロン…!?
なんだ!? そいつは！ドラゴンボールがそろうとなにかがでてくるのか!?

そうか!!わかったぞ!!あいつは合いことばをしらないんだ!!
7個すべてをそろえればそれだけで願いがかなうとおもってたんだ!!
まだオラたちの願いをかなえるチャンスが残ってる!!

合いことばだと～～…!?
そ…そんなものが…
おい!!死んだみんなを生きかえらせることができるかもしれねえぞ!!
やった──っ!!

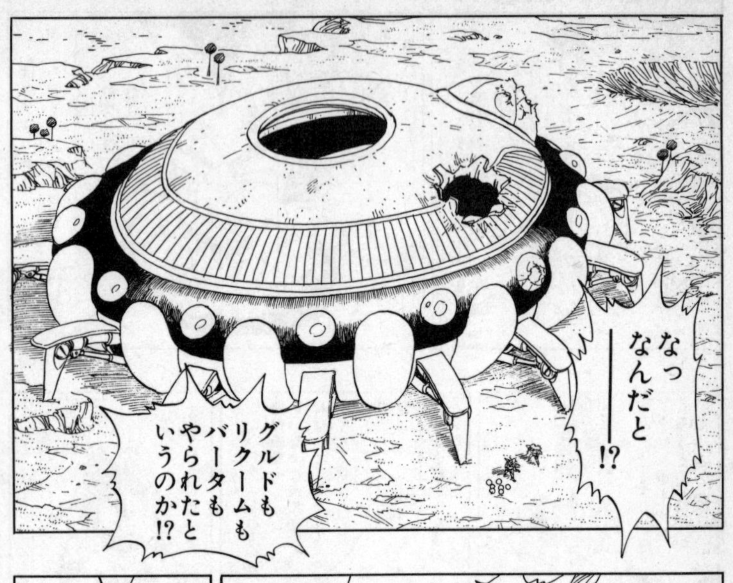
なっ
なんだと
――!?
グルドも
リクームも
バータも
やられたと
いうのか!?

は…はい…
な なにしろ
信じられない
ような
ヤツで…
バカをいえ!!
われわれは
ギニュー特戦隊
だぞっ!!!
ギニュー特戦隊より
強い者は
フリーザさましか
この世には存在
しないのだっ!!

オ…オレだって
そうおもって
いましたよ…
で…ですが
現実に……

……

お…
おのれ…
3人の戦闘能力数値が
消えたのは
スカウターの故障では
なかったわけか…

フ…フリーザさまに
連絡を……
ジョーダンじゃ
ない!!!
そんな
みっともないこと
いえるもんかっ
!!!

フリーザさまが
お出かけで
よかったぜ…
この
ギニュー隊長
みずから
闘いの お手本を
みせてやる……

お
お願いします
ジース
ドラゴンボールを
かくしておけ
なくなったりしたら
フリーザさまの
お怒りを買うぞ

バン
バン

うめておきました
これならぜったいに
みつかりません
よーーし
ではゆくぞ!
そいつにオレさまの
おそろしさを
ジックリと教えてやる

ギニュー
特戦隊
出動!!!!

………
や…やはり
ふたりでは
スペシャルファイティング
ポーズが きまらない…

どこのどいつか
しらんが
ゆるせん…!!
ゆるせんぞお
〜〜〜〜〜!!!!

ドヒュン
ドヒュン

なんとか うまく
ドラゴンボールを
とりかえせると
いいけどな…
ベジータ…
おまえなら
あいつらのこと
くわしいだろ…
なにか いい方法は
ねえかな…
フリーザを
倒すつもり
だったんじゃ
ないのか？
できれば
そうしてえとこだが
……
まずはおめえに
殺された
地球のみんなを
生きかえらせるのが
先決だ…
界王さまにも
フリーザとは
ぜったいに闘うなと
いわれたし…
そんな
くだらない願いを
かなえても そのうち
地球ごとフリーザに
ぶっつぶされりゃ
なんにもならん
だろ…
それより
このオレに
不老不死の願いを
かなえさせろ…

ジョーダンじゃない!!
お おまえなんかに
そんなことされたら
フリーザと
かわらないじゃ
ないか!!
ん!?

ふたつの戦闘力が
こっちに…
おいでなすったな
おまえの逃がした
ジースがギニュー隊長を
つれてきたぞ…!

あ あいつか…!!
たしかにやばいぞ
ご…悟空…!!

まてよ…
フリーザは
どこだ…!?
ギニューのヤツが
ドラゴンボールを
もっていった
宇宙船の位置に
たしかにいたはず
だが……

あっちの
方角の
遠い位置に
強い気を
感じる…
たぶん
そいつが
フリーザだろう
え!?

こんどは
いくらおまえでも
一筋縄でいく
あいてじゃないぞ

あ あの方向は…!!
たっ たいへんだ…!!!
最長老さんのところだぞ…!!!!

そ…そうか…!!! フリーザのヤツ願いがかなわないから直接 ナメック星人にどうするかききだしにいったんだ…!!!

なに!? まだ 生き残っているナメック星人がいたのか!?
もしかしてここのドラゴンボールをつくったのは…!?
ああ!! その最長老さんだ!!! まっ まずいぞ!!!

あ あいつ願いのかなえかたをききだしたらぜ ぜったいに最長老さんたちを殺しちゃうよ!!
最長老さんが死んじゃったらドラゴンボールもなくなっちゃうのを知らないんだ!!!

なっ なんだと!?

く…!!

スタッ
!!
スタッ

さっきはよくもなめたマネをしてくれたな！ギニュー隊長みずからがきさまに制裁をくわえてくださるぞ……！

き…
きやがったぜ
……
ど
どうだ悟空
こ こんども
勝てそうか
……!?

やってみなくちゃ
わからねえよ
なるほど
あいつか
………
戦闘力は
約5000
……
さすがに
こんどのヤツは
ケタちがいの
強さみてえだからな…
そうなんですよ
たったの5000で
……
妙でしょ!?
おろかものめ
……!
スカウターの
数値だけを
みているから
そういう
マヌケなめに
あうんだ
あいつは おそらく
瞬間的に戦闘力を
大幅に上げたに
ちがいない
そういうタイプだ…

オレの見立てでは あいつの実力は 戦闘力60000ほど と みた……
ろく… 60000!? ヤヤツは サイヤ人なんですよ!! 60000なんて サイヤ人は きいたことが ……!!

ありえんこと ではない
われわれと おなじく 突然変異で 生まれた 超天才戦士 なんだろう…

こいつは かつてない ほどの おもしろい 闘いに なりそうだ…
このギニューさまの 真の力を みせる時が まさか やってくるとは おもわなかったぞ

あいつは オラが くいとめる
おめえたちは ドラゴンレーダーで ボールをさがしてくれ! たぶん やつらの 宇宙船ってところに そのままおいてあると おもう……
あいつを たおすことが できたら オラもすぐいくから

わ わかった ……!
は はやく しないと 最長老さん 殺されちまう からな…!
も もう 殺されちゃった かも……!

とにかく いそいでくれ!

ベジータ
おめえは
もうひとりのヤツを
たおしてくれ
死にかけて
全快してから
力がグンと
増えたはずだ
これで勝てない
あいてではなくなった…

ち…
知ってやがった
か……

ほ…
ほんと
かよ…
……
……

よ――し!!
行ってくれ
気をつけて
な!!

がんばれよ
悟空――っ!!
バシュ
バシュッ
に
逃げやがった
……!!
ほっておけ
ザコだ

よし！
こっちも
いくぞ!!

おもいしらせて
くれる……!!
ニヤ…

次は、其之二百八十四　ギニュー隊長のプライド

ドンッ

ギュルルルッ
フッ
タッ

ちぇい!!!!
ブンッ

ザッ
バシャッ
バッババッ
ヴオオオオッ
シャシャシャッ

バッ
バッ

タッ
タッ

いってえ〜〜〜
ち ちくしょう ベジータのヤツ……

なるほど こいつは おもったいじょうに できるようだな……
くっくっくっ それだけに ベジータに逃げられたのは痛かろう……

あのやろう…オラを こいつと闘わせておいてそのスキにドラゴンボールを手に入れようってハラだな…
こいつははやく勝負をつけねえとせっかく でてきた希望が みんなパーになっちまうぞ…

キーーン

くっくっくっいい展開になってきたぞ!カカロットとギニューの実力は ほとんど同じぐらいとみた!
うまくいけば2匹ともつぶしあってくたばってくれるかもしれん…!そうなれば もうこっちのもんだ!

ふははは!!あのチビどもから願いをかなえるための合いコトバをききだしたらかたづけてやる!!
そうしてこのオレが不老不死にさえなれば フリーザとの闘いに勝算も生まれてくるぞ!!

よーーし
せっかくの
登場でわるいが
一気に いかせて
もらうぞ!
ほう
そうとうの
自信だな
ふははは…!
このギニューさまが
そんなクチを
きかれたのは
はじめてだぞ!

いまの一瞬の
太刀あわせで
その自信を
もったのなら
すぐに
その鼻っ柱を
へし折ってやろう
……
じつは
このオレさまも
戦闘力を自在に
変化できる型の
人間なんだよ…!

さ さすが
ギニュー隊長だ
すこしも
動揺して
おられん…

あたりまえか
……
あいつの戦闘力が
もし ほんとうに
60000だったと
しても…
ギニュー隊長の
最大戦闘力は
はるかに上だ!!!

!!
やべえっ!!!!!

パァーーン
グオオッ
ドズゥ・・・ン

ビッ
ブオオオオー・・・

ズバッ!!
ニヤッ

しゃあっ!!!!
フッ
ガッ
ドガガガ
ドガガ

バシュゥ――ッ

ギャア
!!

速い!!!
スピードでは
ヤツのほうが
上かっ!!!!

はっ!?
グアッ
ぐっ!!!!!
ふははは!!!
うまく動きを止めてやった!!!
!!

しっ
しまった…!!!
うっ…
うぐぐぐ
……!!!

隊長!!
もうこっちの
もんですよ!!
骨をくだいて
一気にカタを
……!!!

す…
すげえ力だ!
はずれねえ
……!!
しょ…
しょうがねえ
……
こ
こうなったら
界王拳で
……!!!

すっ…
!!

な
…!?

たっ
隊長…
!?

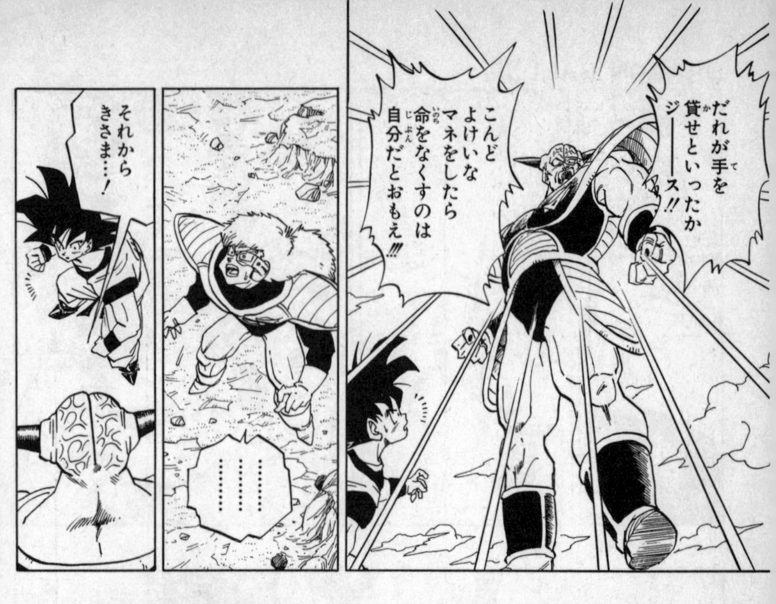
だれが手を貸せといったかジ――ス!!
こんどよけいなマネをしたら命をなくすのは自分だとおもえ!!!
……………
それからきさま…!

きさまは さらなる真の力をかくしている! 気がつかんとでもおもったか…!
おそらくフリーザさまとの対戦に備えて力を温存しておくつもりだろうが このオレさまをなめるなよ!
めずらしく楽しめそうな闘いにわくわくしているんだ!! つまらんマネはよすんだな

……わかった
じゃあほんとうの力をみせる…

そのほうがよかろう
力をだしきらんうちに殺されては死にきれまい
そのあいてのパワーがわかる機械でよ――くオラの力の数値をみてろ…

次は、其之二百八十五 危うし 最長老たち

ググググ…
じゅ……120000……
130000……140000……

ま…ま…まだあがっていく……!!!
そ…そんな……160000
こ…こんなことが……
こんなことが……!!!

シュウウーーー

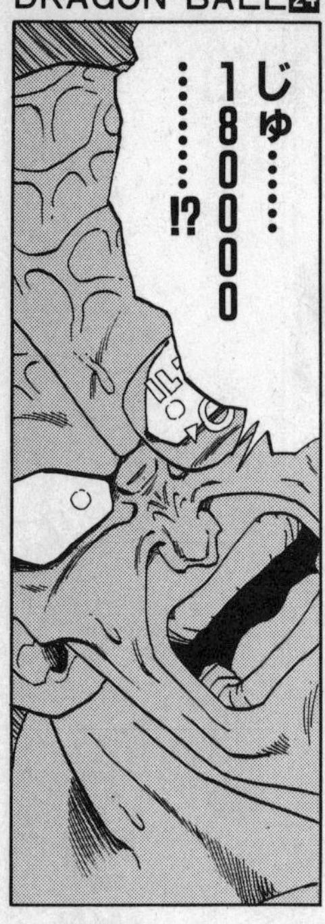
じゅ……180000……!?

し…信じられん………
こ…これがきさまのし…真の力なのか……!!

オ…オレたちが勝てるわけはなかったはずだ………
ギ…ギニュー隊長でさえ最大戦闘数値は120000……
な…なんでサイヤ人がこ…ここまで…

はっきりいっておくぞ！
瞬間的にだせる力はまだまだこんなもんじゃねえ

なっ…なんだとっ…!!!!
ふう…

はっ!!!!!

ま…ま……まさか…まさか きさまは…
ス…超サイヤ人なのか……!?

!?
たしかベジータもそんなことをいっていた…
オラにはなんのことかさっぱりわからねえ…

ス…ス…超サイヤ人…!?
で…伝説の……最強戦士…

うおおおーーっ!!!!
なんということだーーっ!!!!!

あ…あいつが…あいつが…
フ…フリーザさまがただひとつ おそれていたス…超サイヤ人なのか……!!

わりいがおまえは オラに勝つことはできねえ
オラはムダな闘いはしたくねえんだ
おめえたちこの星から消えてくれ

な…
なんだと…!?
き きさま
それを本気で
いっているのか!?
本気だ
特におめえは
思ったより
フェアな戦士だ
殺したくねえ

殺したくない?
ムダな闘いは
したくないだと
……!?
ス…
超サイヤ人は
血と戦闘を好む
全宇宙最強の
戦士のはず
……

そ…
そうか…!!!
きさまは
超サイヤ人
ではないな!!
超サイヤ人には
なりきれていないのだ!!

……
……?

だが すくなくとも
このオレさまよりは
はるかに強い……
くっくっく…
とてつもない
強さだぜ……

キーン

なるほど……
残っているナメック星人はあそこにいる3匹だけですか…

やはりとうとうここをかぎつけられたようです…
もうすぐそこまで……

ズァッ

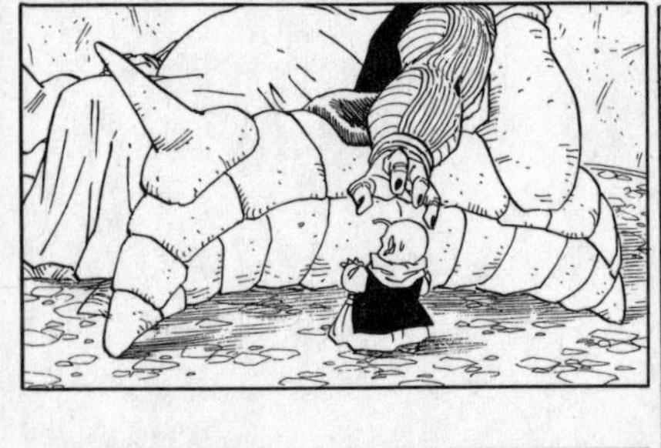

あ……
あ……

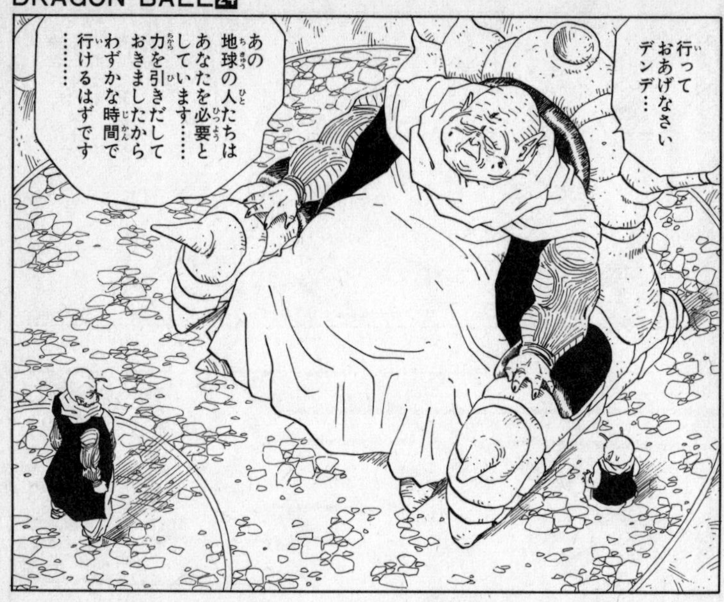
行って
おあげなさい
デンデ…
あの
地球の人たちは
あなたを必要と
しています……
力を引きだして
おきましたから
わずかな時間で
行けるはずです
………

で
ですが…
はやく
行くのです
……!

わ…
わかりました
……!!
さ…
最長老さま
ど…どうか
死なないで
ください…!!

ビュン

殺されてしまうのが先か…それとも寿命で死ぬのが先でしょうかね
………

キッ

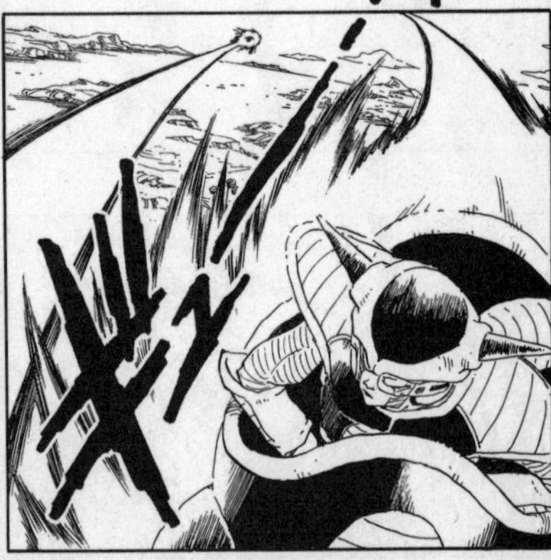

ドン
ズバ

まいいでしょう
………
チリの一粒ぐらいはほうっておきますか…

キッ

タッ

なにか用か?

わたくしはフリーザといってあなたたちのドラゴンボールを集めてある願いをかなえたい者ですが…
ドラゴンボールは7個すべてをそろえたのですがねどうも願いがかなわないようなんですよ…

そこで教えてほしいのです
どうすれば願いをかなえられるのでしょうか…?

お帰り願おう…
邪悪な者に教えることはできない

素直になったほうがいいとおもいますよ あなたを殺すぐらいわけはありませんお二人いらっしゃるんでしょ? どちらかの人からききだせばいいことですから
ではそうするがいい……

だが
闘う前に
これだけは
いっておく
家の中におられる
もうひとりは
このナメック星の
最長老さまだ
ドラゴンボールは
その最長老さまが
つくられたもの…

ほう!
頭に
たたきこんでおけ!
もし最長老さまを
殺せば
ドラゴンボールも
消えてなくなるぞ!

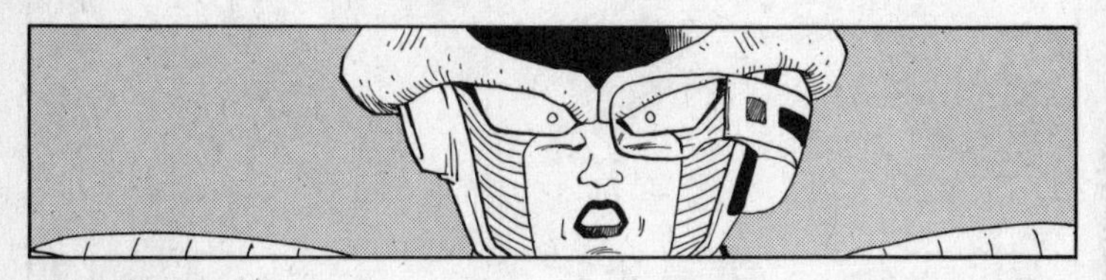

最長老……

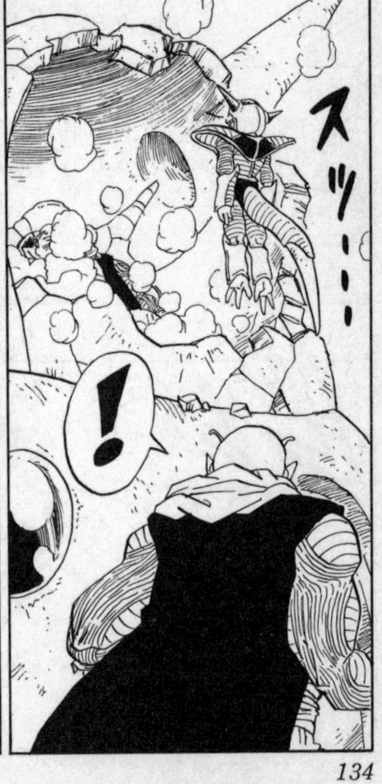

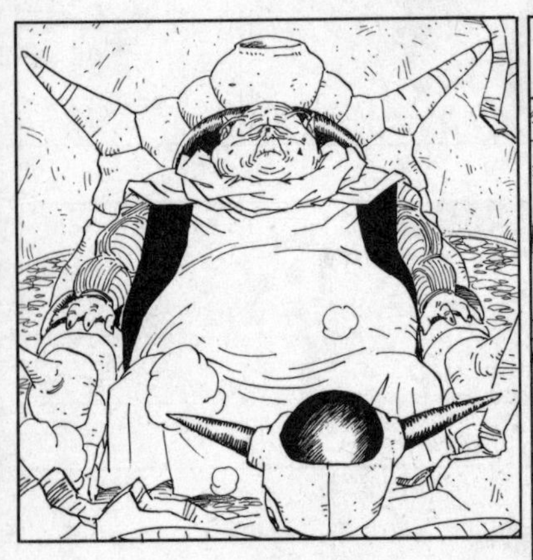

なるほど どうやらうそではないようですね…

たしかに ほかのナメック星人とはちがう……

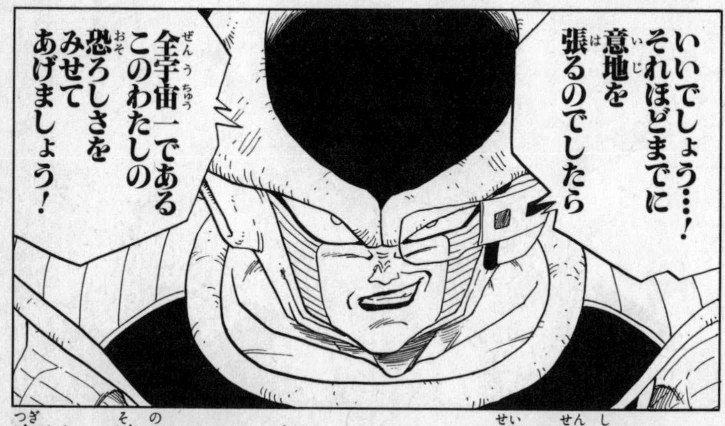

次は、其之二百八十六　ナメック星の戦士ネイル

ほっほっほ…まさか このわたしに闘いを挑もうとする おろか者がいたとは…
まさに身のほど知らずもはなはだしいというやつですね…
すぐにドラゴンボールの願いの かなえかたを教える気になるでしょう…

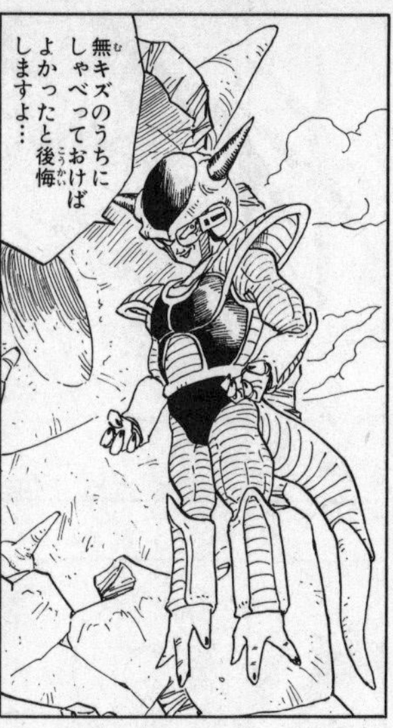
無キズのうちにしゃべっておけばよかったと後悔しますよ…

気づいているだろうが最長老さまは寿命が近い…
ここで闘ってもしまきぞえをくらわれてはおまえにとってもまずかろう…場所を変えるぞ
ほっほっほ そこまでの闘いになるとは とてもおもえませんが まいいでしょう…

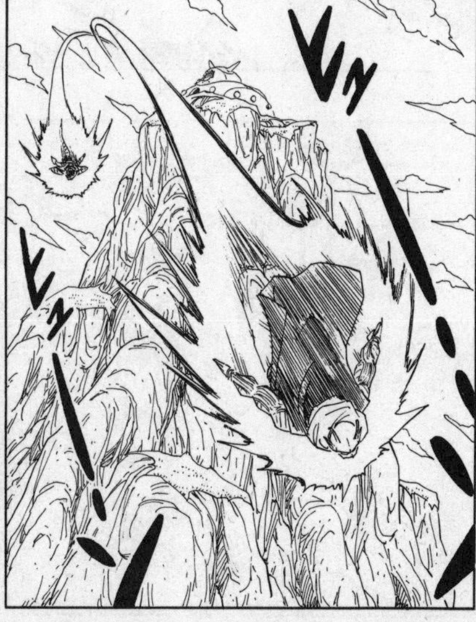

すまんなネイル…どうか せめてデンデがあの地球人たちのところに到着するまでもちこたえてくれ…
こうなってしまってはこの星の運命も彼らが カギをにぎっているのだ…

キィイイーーン

いいかげんにしなさい!
これいじょうはなれる必要はないでしょう!

……

スタッ
タッ

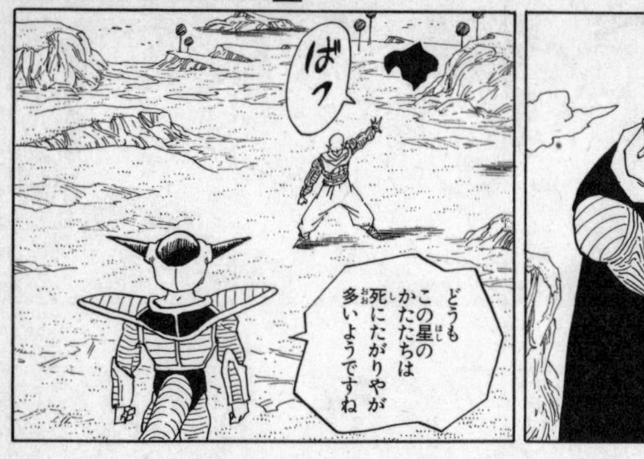
ばっ
どうも
この星のかたたちは
死にたがりやが
多いようですね

ゴゴゴゴ…
ザッ

ほう!
これは すごい!
戦闘力42000まであがりましたよ

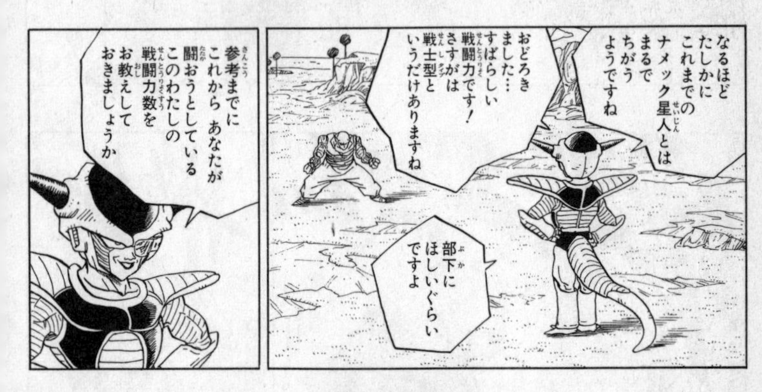
なるほど たしかに これまでのナメック星人とは まるでちがう ようですね
おどろきました…すばらしい戦闘力です!さすがは戦士型というだけありますね
部下にほしいぐらいですよ
参考までに これから あなたが闘おうとしている このわたしの戦闘力数をお教えしておきましょうか

わたしの戦闘力は530000です
ですがもちろん フルパワーであなたと闘う気はありませんから ご心配なく…

そうだ！
わたしはこの左手だけで闘ってあげましょう
すこしぐらいは楽しめるかもしれませんよ

ちっ!!!

ほざけ──っ!!!!

はあああ――っ!!!!
パシッ
!!
やはり42000ではこのていどでしょうね…
く…!!!

ガッ
!!

ググ…

うっ…!!!

うがっ…!!!!
うわあああ——っ!!!!
メリメリ…

うぎゃああ——っ!!!

ボグッ

おやおや これは 失礼 しました ね
あ…ぐぐ ぐお……!!

く…
あくくく……!
おやおや 無理しない ほうが いいんじゃ ないですか?

はあっ はあっ…
やはり 殺されないうちに しゃべって いただいたほうが いいとおもいますよ

はあああ
ああ…!!!!

ズッ

はあっ
はあっ
ピク
ピク

こいつはおどろきました!再生できるんですか
ですが 元にもどってもおなじことですよ
それに体力までもは回復できないようですね
戦闘力が さっきよりおちてます…

あれだけの差をみせつけられてもまだ やるつもりらしいですね…
まったく……この星の連中はなにを考えているのかさっぱりわかりませんよ…

なにを笑っているんだ…!?

きさまが強いからだ…
このギニューさまより圧倒的に強い戦闘力をもっているからだ…

……?
だったらなぜ 笑う……

!!
そ そうか ギニュー隊長は…!!

ふふふ…
ふははははは…!!

ジース！オレのスカウターをもっていろ

パシッ

やっぱりそうだ…!!

……？

くっくっく………

!!

ズボッ
がはっ!!!!
なっ なにを…!!!!
き…きさまは 超サイヤ人ではなかったが…
き…気に入ったぞ その…その強いカラダを…
き… 気に入った…!?
チェンジ!!!
ズ
!!

くっくく…
交換させてもらったぜ
きさまのカラダと…!

あ…!!
あ…
あああ…!!

其之二百八十七

ボディチェンジ

い…いったい…なにが……！

な…なんで…
なんでオラが…そ…そこにいるんだ…!?

さっきいったはずだ
おたがいのカラダを交換したんだとな……

…………
そ…そんなことが……

ギニュー隊長スカウターを！
おう！

よし!
宇宙船にもどるぞ! フリーザさまももどってこられるかもしれん

ふははは……!!!
こんどのカラダはさらに速いぞ!!!

ち…ちくしょう…!! カ…カラダがうごかねえ…
あ…あいつがじぶんをキズつけたのはこ…このためだったのか…!

ま まずいぞ…!!
こ…このままだとオラ…い いやあいつらとクリリンたちがハチあわせする…!!

く…ま…待て…!!

ち…ちくしょう…!! なれねえ カラダでもって キズまで おってちゃ う…うまく 飛べやしねえ………!
ま…まいったな……

う…うまく 地球に帰っても ま…また チチに おこられそう だな……
こんなカオに なっちゃって ……

ヒュン
ヒュン

タッ
タッ
ブルマさー――ん!!

くう・・
くう・・・

ブ ブルマさん!!!
ドラゴンレーダーを!!!

ん～～～?

なにやってたのよ あんたたち!! とつぜん ベジータと ドラゴンボールを 取りにきたとおもったら またどっか いっちゃって!!!
いったいなにが どうなってんのよ!!! こんな ぶっそうなところに 女の子ひとりを 放っといて 許されると おもってんの!?

あ…あの… はやく ドラゴンレーダーを ……!
う…うまくいけば オレたちの願いが かなうかも…!

な―――に!! まだ願いを かなえて なかったの!?
レーダー見たら 反応が7個そろってたから とっくに神龍よびだして 終わったとおもってたのに なにチンタラやってんのよ!!

チンタラね ………

わかりましたよ クリリンさん!! あっちの方向です!!

よし わかった
いくぞ!!!

ちょ ちょっと どうなってんのか わけを教えてよ!!
い いまは いそぐので それは あとで…!
そうそう! おとうさん きてくれ ましたよ!

ほんと!?
そ それでどう!? もっとたくましくなってた!?

悟飯いそぐぞ!!!

孫くんか……
あいつが あんなにかっこよくなるとはおもってなかったな…
恋人のはずのヤムチャとはケンカばかりだし……

………
はずしたかな………

タッ

よし…
やはり
フリーザは
でかけているようだ
………

ヒュッ

ドラゴンボールが
みあたらん…
どこかに
かくしたか…
それともフリーザが
もって行ったのか
……
ギニューが
残ったところをみると
かならず　ここのどこかに
あるとおもうが…
どっちにしても地球人どもが
あの妙な機械で
みつけるだろう……

地球人どもはまもなく来るはずだ……
いまのうちに戦闘服を新品に替えておくか…
それにしてもカカロットのやつふしぎな薬を使いやがるぜ…
キズがなおってしまううえに体力が完全回復するとはな…

ち…
サイズの合うやつは旧タイプしかないか…

む!

きやがったな地球人ども……
オレがここにいることがわかるとまずい…やつらのようにうまく戦闘力を消さないと……

クリリンさん!!!
あそこ…!!
そ そうか!! やつらの宇宙船だな!!

ドラゴンボールの反応は あの船の中じゃなくて ちょっとズレています…!
はやいとこ さがそうぜ…! だれも いなさそうだし

タッ
タッ

どこだ？悟飯
え…と こっちです…
もう すぐ そこ ……

……なに…？

ここですよ！クリリンさん ここ!!
そういや うめたような あとがある!! あいつら こんなとこに…！ よし 掘りだそうぜ！

あった あった!!
7個ぜんぶ ありそうですね!!
あんなところに かくしてやがったのか……！

よ～～～し!! シェンロンとやらを よびだしやがれ…!!
きさまらを かたづけて このオレの願い 永遠の若さと命を 手にいれさせて もらうぞ……

うはは はは…!!
そろった そろったぞ ――!!

よし いくぞ!!! オレたちは この瞬間の ために はるばる きたんだ!!
みせて もらおうぜ 本場の 神龍を!!
みんな 生きかえるん ですね!!!

さあ やれ!! よびだすん だ!!

苦労 したな…
はい…

出よ神龍!!!!
そして願いをかなえたまえ!!!!

あんな単純な合図か……!!!

……
……

どうした…!?
なにか起こるんじゃないのか!?
シェンロンとはいったいなんなんだ!?

で…でない…神龍が でない……
な…なんで…!?

なんで神龍がドワーーッとでてこないんだよーーっ!!
ちょっとセリフがちがうのかもしれませんよ!!
くそったれどもなにをしていやがる……!!

む!?

ク…クリリンさん!
だだれかこっちにむかってきます!
え!?

おっ おいふたつの気を感じるぞ!!
さ さっきのギニューってやつらじゃないのか!?
じゃ じゃあおとうさんはやられたのっ!?!?

ち ちいっ…!
またやっかいになってきやがった!!

邪悪な気だぞ!!
まちがいない
さっきのやつらだ!!!
ど
どうしたんだ
悟空は…!!

気を消して
かくれるんだ
悟飯っ!!!

キーーーーン

スタッ
スタッ

へ!?
!?

其之二百八十八

悟空か!? ギニューか!?

ヤッホー―――!!!
オラ孫悟空だ!!
カオは かわっちまったけど
よろしくな!!

む!?
あ!

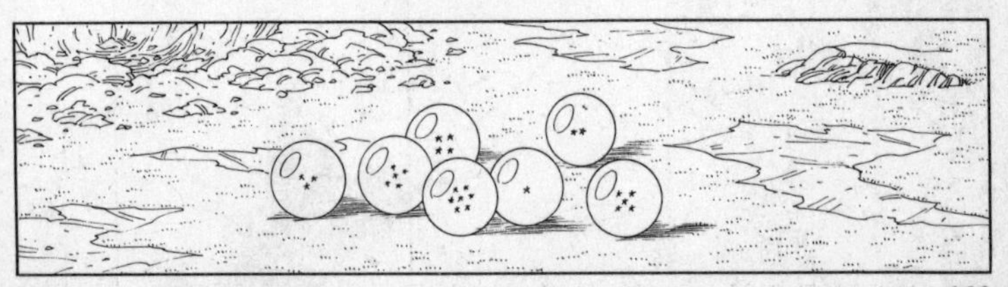

ドラゴンボールが掘り出されています…!!
どういうことだ……

なぜうめてあった場所が……
悟空!!!!

ははっ!!オレだよオレ!!ビックリしたぜあのギニューってやつじゃないかとおもってさ!!
あいつをたおして部下を仲間にしちまったとは知らなかったからな!

おまえか
このドラゴンボールを
みつけたのは……
どうやってわかった…？
なにいってんだ
ドラゴンレーダーで
みつけたに
きまってんだろ！

レーダーだと……
ちくしょう
そんなものが…
それで？
願いは
かなえられ
たのか？

それがよ……
ダメなんだ…
神龍がでて
こねえんだよ…
なんでだろうな……
合いコトバが
地球のとは
ちがうんだろう
か………

……
……

そうか…
ダメだった
か…

……悟空 おまえ なんか変じゃ ないか…？
なんていうか その…フンイキがさ…… それになんで あいつらの スカウターとかいうやつ なんか つけてんだよ…

知りたいか？
え？

クリリンさん!!!!
そいつは おとうさんじゃ ない!!!!

え!?
バキッ

!!

ダッ
くっ!!!

……な……
……!?

もう1匹いやがったか……
スカウターにはなんの反応もなかった
戦闘力をゼロにまでコントロールできるらしいな……

な…なにをするんだ悟空…！
お　おとうさんじゃない
あ　あれはおとうさんじゃありませんよ…！

ご悟空じゃない…ってどどういうことだ…どうみたってあれは……
わ…わかりません……で…でもボクにはわかるんです……

カラダをとりかえてもらったのさ
こっちのほうがそうとうに強かったもんでね…

そうさ!!!
このオレはギニュー特戦隊隊長ギニューさまだ!!!

!!

な…なんだって……!?

ととりかえただと……!?

さっそく
試させてもらうかな…
そ…そんなバカな……!!

戦闘力180000以上のとんでもないパワーというやつを………

よ よせ悟空…!!
お おまえはあやつられているんだ!!
さ 催眠術かなんかで…!!

たあーーー!!!!!

シュ――――…ッ

ク…クリリンや悟飯が殺されちまう…！
あ…あっちか……
い…いや
こっちだ…
くそ～～～……
なれねえ
カラダじゃ
うまく気も
よめねえ……
……！
そ
そうか!!!
なれねえ
カラダ……
オ オラが
ここのカラダに
なれて
ねえんだったら
あいつだって
オラの
カラダには
なれてねえ
はずだ！

うははははっ!!!!
ブンッ

そらそらそらっ!!!
ガッ
ガガッ
ドッ

カラダがいれかわったにせよ催眠術にかかったにせよカカロットの強さにかわりはないはず……
ますますやっかいになってきやがったぜ…

ふはははははっ!!
どんどんパワーを強くしていくぞ!!かくごはできたか!?
ビシッ
ビビビッ
ピピピッ
ん?

お!

ギニュー隊長!
あのやろうが追いかけてきました!

なに?

はあっ はあっ
みみつけたぞ…!

タッ

よくここまで来れたな くっくっく……もっとひどいキズをつけておくんだったた

ククリリン悟飯…よよくきけ…!! そいつはオラじゃねえ カラダをとっかえやがったんだ……!!

あ…あわわ…
ほ…ほ…ほんとだったのか……!!

そそ…そんな…
あ…あれがおとうさん…!?

そ そいつは
ギニューだ!!
えんりょなく
やっつけて
しまえ…!!
いまの
おまえたちなら
ぜったいに
負けはしねえ!!
いいか…!!
ぶっとばしち
まうんだぞ…!!

ぶ…
ぶっとばしち
まえ…ったって
……
ふははは…!
バカめ!
ぜったいに
負けはしない
だと!?
きさまの
元のカラダだぞ!
戦闘力は
180000
以上だ!
勝てるはずが
なかろう!!

や…
やってみりゃ
わかるさ
そ…そいつは
オラのカラダだ…
界王拳どころか
気の使いかただって
うまくできるもんか…!
精神と
カラダとを
一致させなきゃ
大きな力なんて
だせねえぞ…!!
くっくっく…
このギニュー様に
そんなハッタリは
通用せんぞ…!
いま
みせてやる!!

ぬおおお
おお……!!!!!

ぐははは
は…!!!!
ジース!!
このオレの
戦闘力は
いくつだ!?

……
に……
…23000
ですが……

に…
23000…
たった
23000
だと……!?

ぐっ!!!!

バ…バカな……!!
そんなバカな……!!

ほほんとだ……!!
なんとか勝てるかもしれんぞ……!!

ジース!!! なにをしている き きさまも闘わんか!!!!
あ! は はいっ!!

おっと!
きさまのあいてはこのオレだ!

ベジータ……!

扉ページ大特集ＸＸⅢ

なんとなんと、悟空とギニューのカラダが入れかわった——っ!! 7個のＤＢを前に、入りみだれての大混戦!! どうなっちまうんだこれから!? とりあえず、週刊少年ジャンプに載ったそのままの扉ページ大特集っ…!!!

DRAGON BALL

いま行(い)くぞ!!!

其之二百七十九(そのにひゃくななじゅうきゅう)　不思議(ふしぎ)な孫悟空(そんごくう)

DRAGON BALL

ドラゴンボール

其之二百八十 超サイヤ人!?

鳥山明
BIRD STUDIO

DRAGON BALL

ドラゴンボール

オラとホントに闘う気か!?

其之二百八十一
対決!!
ジースとバータ

鳥山明
BIRD STUDIO

DRAGON BALL

◆ギニューさまをあまくみるなよ!!とうっ!!!
ドラゴンボール
其之二百八十三
ギニュー隊長おでまし!!
鳥山明
BIRD STUDIO

DRAGON BALL
ドラゴンボール
互角の力!!!
こう？
……
鳥山明
BIRD STUDIO
其之二百八十四 ギニュー隊長のプライド

DRAGON BALL

怒るとわたしコワイですよ

其之二百八十五 危うし最長老たち

ドラゴンボール

ドラゴンボール
DRAGON BALL
危うし最長老!!! そしてギニューと闘う孫悟空の身にもとんでもないことが……!!?
其之二百八十六
ナメック星の戦士ネイル
鳥山明
BIRD STUDIO

■ジャンプ・コミックス

DRAGON BALL（ドラゴンボール）

24 悟空（ごくう）か!?ギニューか!?

1991年1月15日　第1刷発行

著者　鳥山　明

発行人　西村繁男

発行所　株式会社　集英社

東京都千代田区一ツ橋2丁目5番10号
〒101-50

03（3230）6235（編集）
電話 東京 03（3230）6191（販売）
03（3230）6076（製作）

印刷所　株式会社美松堂印刷所
中央精版印刷株式会社

ISBN4-08-851414-9 C0279